우울은 나의 원동력

: 낮

김인현 시집

편집자의 말

누군가의 책을 편집했습니다. 소감을 말하려는 것은 아닙니다.
저자가 시를 쓰기 시작하기도 전인 6년 전부터 인연이 닿았지만, 결국 서로 글이라는 매개로 진정한 글벗이 되어줄 수 있었기에 이 책을 편집할 수 있었습니다.
이 시집의 낮과 밤에는 저자가 살아오고, 살고자 하는 모습이 고스란히 담겨있습니다. 제가 처음 보는 모습 또한 들어있지요. 저자의 시를 보면서 저자의 볼 수 없었던 면면과 갓 우린 여린 찻잎의 엽저같은 모습을 볼 수 있었습니다. 맑게 차를 우리고 남겨진 찻잎은 할 일을 다 했지만, 바짝 말랐던 모양과 달리 물기를 잔뜩 머금은 모습은 이제 바스러지지 않을 것 같은 강함을 가지고 있지요. 밤이 되어 우울을 원동력 삼은 저자의 모습이 통통한 엽저가 아닐까 합니다. 아침이 되면 강함을 가지고 살아갈 모습을 이 시집에 모두 담아낸 저자를 늘 지켜보고 함께 걸어나가고 싶다고 생각했습니다.
계속 글을 써나가며 제가 자랑이 되고, 저자 또한 제 자랑이 되어주는 글벗으로 남길 바랍니다.

편집을 마치며
편집자 정국화

8 AM

출발점 방향 공백
시간 지혜 빛

10 AM

사과 빛 그늘 속에 공유
헌신 시 아름다움 고양이

정오 PM

너에게 추측 고요함
쪽지 가치 탐험

2 PM

일탈 속도 이기다 손바닥
바보 짐작 지금 질문 답
나중에 우리

4 PM

행복할 것 노력 고마움 예술
수명 사랑에 대한 모든 따뜻함
귀 진실

6 PM

비, 무지개 아무래도 보석 끝 잔인
지나가는 시간 그땐 내 모습 죽음
미운 사람 널 사랑한 만큼 일기 달

08 AM

출발점

방향

공백

시간

지혜

빛

출발점

두려움 반 설레임 반

방향

목적지 없는 방향으로 걷는 것이
쓸데없음은 결코 아니기를.

공백

제자리 뛰기를 위해서 준비하는
여기 두 발 닿은 이 땅 앞으로부터
다시 내려앉을 신발 자국이 생길 곳
사이 가지런한 흙

시간

왜 너랑 있을 땐 그렇게 일찍 일어나냐고

너랑 있으면 행복해
아무 생각도 나지 않아
마치 캄캄한 어둠 속 같아
그렇게 행복할 수가 없어
시간이 지나가는 게 아쉬워서
난 언제나 조금만 더 있자고 하지

그러게
신기하게 난 우리일 때 참 영롱해

지혜

내 마음이 다른 사람에게 상처 주지 않을 지혜를
땅속 깊이 파고드는 이 순간에도 길을 찾을 지혜를
무너지지 않고 침착하게 더듬어 나아갈 지혜를
지금 여기의 두려움을 용기로 바꿀 수 있는 지혜를
더욱 멋있는 내 모습을 만들 수 있는 지혜를
멀리 내다보며 섣불리 판단하지 않는 지혜를

온유하고 담담한 사람이 될 지혜를 주세요

빛

만약에
우리가 별이나 빛이었다면
살아있는 것만으로도
남에게 행복하게 해줄 수 있을 텐데

만약에
내가 빛이었다면
살아있는 것만으로도
그저 행복했을지도 모를 텐데

10 AM

사과

빛

그늘 속에

공유

헌신

시

아름다움

고양이

사과

4월 1일에 누군가가 말했다.
처음 입에 댄 것이 사과인데 정말 꿀맛이라고.
별거 아닌 한 문장에 감탄했다.
거짓말이 이해되는 깜찍한 날에
누군가는 진심을 담아 사과해서
구차한 용서를 어색하지 않게 빌어보는구나.

그 사과가 정말 꿀맛이었다고 하니
용서를 받았나 보다.
내 일도 아닌데 내 마음이 다 따뜻해졌다.

빛

저 빛이 비추는 방향이 옳은 것인가
빛 자체로 옳은 것인가

그늘 속에

숨이 가빠오고 심장이 마구 뛰어오면

우리 그늘 속에 숨자

언제나 밝다고 좋을 건 없어

마음을 식히고 잠시 눈을 감기 위해

저기 그늘 속에 숨자

공유

널 보는 내 마음이 두근거렸다
네 한마디에 굶주린 내 안이 화사해졌다
사소할지 모를 등장에 난 웃고 말았다
어느새 그날은 행복해져 버렸다

전해지지 않는 나만 가진 봄은
너와는 공유할 수 없는 비밀이었다

헌신

헌신의 결과는
기대한 것이 아닌 경우가 많다.

그렇다고 혼란스러워하지 않기를 바란다.
그동안의 당신을
곁에서 봐온 내가 인정하니까.

시간과 노력이 당신을 좌절시켜도
그대 옆의 내가 그대를 위해 헌신하고 있다는 걸
부디 알아주기를.

그런 나로 인해
당신의 삶이 행복하기를 바라며.

시

너를 만나고
내 글이 뜸해졌다

만약 네가 글이라면
하루에도 너만 여러 번 읽느라
글이 더 안 써질 것 같다

아름다움

미쳤나 보다
별거 아닌데
그냥 그런 일도 있을 만한데
남들과 크게 다를 것 없는데
세상이 아름다워져
네가 나와 있을 때면

고양이

마음을 열기까지 기다려줘
편안한 순간에 너에게 다가갈게

정오

너에게

추측

고요함

쪽지

가치

탐험

너에게

네가 잘하는 것은 너를 사랑하는 이들을 위해 하고
네가 하고 싶은 건 너를 사랑해서 하는 것이기를 바란다.

추측

네가 지금 우울한지
속상한 일이 있었는지
상처를 받은 건지

나는 그저 추측할 뿐이다

말하지 않은 채 혼자 깊게 파고드는 널
옆에 두고 보기에 난 너무 가슴이 아프다

고요함

시끄럽게 웃는 티비
열심히 돌아가는 냉장고
눈치 없이 떠드는 바깥세상
부러운 고양이들의 장난
그리고
깨끗하게 정리한 내 작은 방안
이렇게 고요할 수 없는 내 마음

쪽지

너의 쪽지는 소소한 모양새가 마치 쪽지 같았다.
하지만 그 안의 나를 칭하는 예쁜 말들과 테이프로 붙인 꽃잎들, 그리고 고민하며 그었을 형광펜까지. 기대하지 못했던 너의 그 따뜻한 마음을 담아 별거 아닌 듯 건네어주던 때, 미안하지만 나는 이미 욕심이 더 커졌었나 보다.
내가 원하는 건, 내가 너에게 편지를 주는 것인데. 아마도 너는 내 마음이 훤히 다 보였는지, 그게 뭐였든 절대로 주지 말라는 너의 그 말이 왜 자꾸 날 접게 만드는지.

가치

반짝이는 것만을 좇지 말고
스스로 빛나는 사람이 되려 하거라.

탐험

사랑하는 너는
나를 탐험하겠다고 했다.
그 말이 왠지 더 사랑스럽게 들리는 건
작은 꼬마가 우주복을 입고
나라는 우주를 떠다닐 것 같아서.

사랑하는 너의 눈에 비치는 내 모습이
내 눈에 비치는 내 모습과 너무 달라서 불안하지만
그래서 더 널 사랑하는 건
내가 미처 사랑하지 못하는 내 모습까지도 넌
열렬하게 사랑해주기에.

02 PM

일탈
속도
이기다
손바닥
바보
짐작
지금
질문
답
나중에
우리

일탈

지금 넌 나에게 일탈이어도
내일 넌 나에게 일상이기를

속도

생각과 행동의 속도가 같을 때
복잡함에서 질서를 찾는 희열을 느낄 수 있다.

이기다

언제부터인가
너를 이기고 싶지 않아서
대답으로 그저 너를 옹호하고만 있었다.

그때부터였을까,
이 감정을 이해하기로 한 건.

손바닥

네 손바닥에 자리한 굳은살들이 왠지 정감이 갔다. 무엇으로든 힘들었고 열심이었다던 그 증거들이 좋았다. 자꾸만 네 손바닥을 만지게 되고 이상하게 사랑스러웠다.

'이렇게 열심히 살다가 날 발견해줘서 고마워.'

네 손바닥이 내 손바닥과 닿은 순간,
지난 모든 일들이 나에겐 행운이었다.

바보

바보 같은 너가 있다.
나를 어리고 어린 멍청이쯤으로 알고 있는
바보 같은 너가 자꾸 여기저기로 있다.

너에게 나는
아무런 정리 안 되는
분류 없는 일기장.

네 얘길 쓴 것도 아닌데 마음이 가나 보다.
최소한의 거리를 두는 시원한 성격의 넌
최대한으로 날 가깝게 두려고 하는 것 같다.

내가 아무것도 모른 채
웃고 울 거라 생각하는 너에게
나는 곧 지나칠 인연이라 자신할 수 있지만,

의미 없이 날 찾는 바보 같은 너가
내 일상에 자꾸 들락거린다.

짐작

한 번도 틀린 적이 없었다.
그럼에도 틀리길 바랐다.
그보다
짐작하게 두는 네가 너무 미웠다.

지금

이러려고 넌 그 먼 길을 돌아 여기에 와있구나.
그동안 힘들었겠지만, 그 시간으로 만들어진 너이기에
지금 이 사랑을 불안해하지 말고 마음껏 받으렴.
그리고 더 빛나는 사람이 되렴.
과거의 네가 지금의 너에게 주는 선물이니
두려움 버리고 그 소중한 꿈을 현실로 만들기를.

질문

"왜?"

머릿속에 맴도는 건 입 밖으로는 내뱉지 못 하는 말들이었다.

"그냥."

눈치챌 걸 알면서도 할 수 있는 말은 이것뿐이었고,

"뭐, 뭔데. 말해 봐."

영리한 넌 바보 같은 날 즐기기 일쑤였다.

"아니라고. 말 안 해."

이미 들켜놓고도 난 희박한 경우의 수에 매달렸다.

"말해 봐."

답을 알고 있는 듯한 너에게는 더 말하기 싫었는데,
참기엔 이미 너무 가득한 내 마음이어서
미처 넌 대답을 준비 못했던 걸 거라고 생각했다.

바보 같은 착각.

답

답은 여러 가지가 될 수 있다.
내가 욕심을 버렸을 때에 말이다.

나중에

사랑한다고 했다.
네가 고르는 말들은
하나같이 나를 부풀어 오르게만 했다.
다만 사이사이로 끼워 넣은 그 장난이
부푼 꿈을 세게 터뜨리곤 했지만.

정말이란다.

네가 바라보는 눈빛이 그렇게 따뜻할 수가 없다.
검은 눈동자 뒤로 뭘 그렇게 감추고 있는지
장난이라며 나를 산산이 부서뜨리면서
웃으며 날 쳐다보는 그 눈은 유난히 반짝인다.

따뜻한 너의 체온은
네 입에서 나오는 말들로도 느껴질 정도로 따뜻한데
문득 네가 언제나 따뜻한 게 아닌가 싶어져 서운해진다.

추움을 모르는 사람이라면
나를 포용하지 못할 텐데.

나중에
얘기를 하게 될지도 모르지.
한때엔 너도 추운 때가 있었다면서.

우리

서로의 노력을 알아주는 사람이 되어주자
누구보다도 서로를 인정해주기로 하자
내가 너를 믿고 네가 나를 믿으니
서로의 모든 시간을 응원하고 지지해주자

아쉬워하지 않게
삶의 모든 시간이 행복한 기억일 수 있도록
격려를 아끼지 말고 서로를 사랑하자

내가 너를 믿고
네가 나를 믿으니
서로의 모든 시간을
응원하고 지지해주자

〈우리〉 中

04 PM

행복할 것

노력

고마움

예술

수명

사랑에 대한 모든

따뜻함

귀

진실

행복할 것

행복할 것
무슨 일이 있어도 웃을 것
누가 쳐다보든지 괜찮다 할 것
다시는 이러지 않게
당장은 내 앞이 깜깜하지만
그래도 걷자
나에게 그만두면 안 되는 빚들이 있다
고마움
미안함
하나둘 갚다 보면
어느새 난 저 멀리 가 있겠지
혼자가 아닐지도 몰라
그러니 행복할 것
무슨 일이 있어도 행복할 것

노력

넌 잘하고 있어
라고 아무도 당신에게 얘기해주지 않는다.

노력해서 후에 보이는 결과가 답이 될진 몰라도,
역시 아무도 당신에게 힘이 되진 않을 것이니까
힘내라는 소리도 귀담아듣지 말길 바란다.

혹시 그럼에도 실패한 당신 옆에서
웃어주며 잘하고 있다 말해줄 사람이 있다면
하던 대로 해나가도 좋다.

나에겐 이미 부러운 사람이 된 당신이니까.

고마움

잊어도 될 빚이라고 생각하지 말아요

예술

하고 싶은 말을 쓰다가 지우고는
식상한 반응으로 감정을 덮어본다.
알아주길 바라는 마음을 감추고는
다른 말로 돌려 지루한 시간을 보낸다.

그래도 만약 내가 너에게도 특별하다면
부디 나에게 조금 더 말해다오.

네가 살아왔던 흔적,
너의 습관적인 말투,
부드러운 너의 생각과 시선,
따뜻하지만은 않은 충고까지,

부디 나에게 모두 말해다오.
만약 내가 너에게도 특별하다면
이런 기적이 나에게 다시 있을까 하여 난
설렘에 젖어 행복해할 테니,

신이 만들 예술 중에 이런 예술이 없어
감추고 숨겨둔 내 말과 마음들이
너로 인해 예쁜 작품이 되길 바라는 마음으로
이렇게 편지를 쓰고 있다.

수명

그 말이 수명을 다 했는지 짐작할 수 없었다.

"그때 만나기로 했잖아. 기억 못하지?"
"아니, 기억해."
"오오.. 진짜? 언제인데?"
"십 년 후."

그는 가끔 아무렇지 않게 진심을 내뱉는 사람이라 더 어려웠다.
속을 보고 싶어 이리저리 표정을 뜯어봐도 짐작할 수 없었다.

"왜?"

그는 미소 띤 채로 그 말을 하던 그를 찾아 헤매는 내 얼굴을 쳐다보았다.

"뭐~. 그냥."

단서도 잡지 못한 내 시선은 발아래로 떨어졌고, 내 손을 잡은 그는 다시 걸음에 집중했다.

"십 년 후 그 날짜에 보기로 했잖아, 기억하고 있어."

그새 난 생각에 빠져 그의 손에 붙들린 채로 따라 걸었다.

'분명 그날의 너에겐 그 말의 수명은 다했을 거야.'

약속한 날까지 함께 할지도 모른다는 애석한 상상은 품어
질 곳 없는 한낱 민들레 씨앗 같았다.

나를 좋아한다던 네 감정의 수명은 꽤 불안한 것 같았다.

사랑에 대한 모든

시간의 축적은 놀라운 작품을 보여준다.
그 작품의 시작은 별다르지 않은 평범한 것이었음을 잊지 말아야 한다.

따뜻함

깊은 속 따뜻함은
부드러운 너의 말투와
굳은살이 베긴 인생 이야기도 전부
멀리 있기에 가까이하지 않는 너에게
나를 들키기엔 위태로운 생각들에 사로잡힌다.

차갑고도 부드러운 그 감성으로
나를 밀어내려는 건지 모르지만
특유의 따뜻함을 듣고 싶어서
여전히 나는 안달 난 강아지 마냥
네 앞에서 왕왕거린다.

귀

잘 듣고 잘 말하렴

잘 들어보면
그들이 말하는 것에 묻어나오는
그들의 진심까지 들을 수 있으니까

잘 듣고 진심을 어루만지며
예쁘게 말하는 사람이 되렴

그래서 너의 귀가 이렇게 예쁜 거니까

진실

진실은 알려져야 하고
진심은 알려야 한다.

06 PM

비가 가고 무지개가 떴네
무지개 끝에는 당신이 있을까
어제는 그렇게 비가 많이 왔다.
아마 당신이 있는 곳엔 절대 오지 않을
억수같은 비가 자꾸만 왔다.
그치면 보일 무지개도 보지 말라고
밤에서야 그치더라.

아무래도

아무래도
네 안에 나는
안달 나지 않은가 보다.

보석

우리가 함께한 시간들이 별처럼 모여서
오랜 시간이 지나고 나면
반짝거리는 은하수가 되어 있겠지

끝

그건 내가 정하려고 한다.
모르니까 다들 갈피를 못 잡잖아.
그래서 난 임의로 정해두려고 한다.
머지않은 미래에 대충 계획해두고
거기에 맞춰 다음은 뭘 할지 생각했다.
그랬더니 편해지더라.

잔인

잔인한 사람
그대가 올 때만을 기다리다가도
막상 맞은 그대 앞에서 난 여러 명 중 한 사람

설레이는 문장이 그대에게서 나에게 건네어져도
나는 홍조를 장난으로 감추기 바쁜 가벼운 사람

드물게 나를 찾아 마음을 보이는 그대에게
나는 신경 안 쓴다는 듯 보기만 하고 답하지 않는 답답한 사람

그저 말 상대뿐인 내가 그대에게 되고 싶은 사람
잔인한 사람.

지나가는 시간

잊혀지는 것들 중엔
사람도 있고 감정도 있다.
노력과 간절함으로 무언가를 얻기에는
까마득하게 부족해서
간절함이 잊혀지길 기다리는
약간의 시간이 필요하기도 하다.

하지만,

그동안의 너에게는
눈덩이가 눈밭을 구르듯
나에 대한 감정이 너도 모르는 새에
크고 단단하게 불어나있길.

그렇게 나를 식히는 동안
너는 온기가 더해지길 바라면서
끔찍하게 긴 시간을 나는
아무것도 하지 못한 채 밀어내고 있었다.

그땐

그땐 내가 어떻게 널 좋아하게 됐는지 몰라.

지금 나를 끔찍이 좋아하는 네가 그걸 물어봤을 때 뜬금없이 예전에 널 만났던 그날 밤이 스치면서 설레어서 어떻게 답해야 할지 모르겠었어. 가만히 대답을 궁리하자니 그걸 물은 네가 문득 너무 사랑스러운 거 있지? 무슨 생각으로 넌 나한테 어떻게 널 좋아하게 됐냐고 물어본 걸까. 네가 얼마나 사랑스럽고 따뜻한 존재인지 너는 알까.

미안하지만 가끔은 그때의 네가 그리워. 나를 좋아하는 너라는 사람은 나를 너무 괴롭혀. 너도 인정하잖아. 뭐가 그렇게 재미있다는 건지 나이도 많은 나에게 넌 연신 귀엽다 하니.

사랑하는 사람아.
나는 너의 지나가다 한 따뜻한 말에 치여서 이유 없이 여기까지 온 것 같아. 굳이 다른 이유를 보태자면, 나는 너와 있을 때 느낌 편안함과 사랑에 빠진 것 같아. 혹시 기억나? 내가 널 편하게 해주려고 한 배려가 참 좋았다며. 난 너의 당연한 듯한 그 편안함들이 너무 좋았어.

세상에 존재하지 않길 바랐던 너라는 사람이
현실에 존재해버리고 나니 참 힘들어.

그렇네.

그땐
이 세상에 존재하지 않는 사람으로 널 대한 나여서
그래서 좋아하게 된 것 같아.

사랑해.

내 모습

별 말하지 않아도 알고 있었나 보다.

“괜찮아, 넌 할 만큼 했어.”

순간 울컥한 눈물을 참기 위해 김빠진 맥주를 벌컥벌컥 들이켰다.

죽음

죽음을 무서워하지 않는 나에게
넌 루시퍼가 생각난다며 말했다
천사였지만 떨어져 버린 존재
세상은 지옥과 같다며 말하는 내게
넌 늘 왜 항상 부정적이냐며 면박을 줬지만
지옥과 같으니 선의를 베풀고 즐기며 가련다던
내 말에 넌 두 손 들고 졌다며 날 루시퍼라고 했다
밝은 곳으로 끌어내지 못한 건 내가 처음이라며
매미 유충 같다고 빈정거렸다
가만히 생각해보니 맞는 것 같았다
난 지금 매우 어두운 곳에서
밝진 않아도 누구보다 따뜻하게 숨어있으니
조만간 찾아올 내 인생의 여름을 위해
밝은 곳으로 나가려 안간힘이니
어두운 곳에서도 따뜻한 존재가
밝아지면 누구보다도 빛나리라고 난 믿는다

미운 사람

니가 미운 가장 큰 이유는
언제나 난 너의 한 발자국 뒤에 서서
너에게 달려가지도 그렇다고 도망가지도 못하기
때문이다.

널 사랑한 만큼

옹졸한 마음으로 꺼내어진 불안함이
너를 지치게 하지 않길
무심코 뱉은 이기심이
내 욕심이 아닌 널 웃게 하는 용기이길
세상에 존재하는 대부분의 것들이
가치를 잃어가는 나의 지금에도
내가 나를 사랑하는 만큼
널 헤아리고 이해할 수 있길
밤하늘의 별처럼 새벽녘의 달처럼
혹은 창문 밖 소나기처럼
늦은 밤 지쳐 몸을 이끈 침대에서도
널 품어줄 수 있기를.

널 사랑한 만큼
많은 걸 이겨냈기에
널 사랑하는 만큼
많은 걸 견디어 보이겠다.

나를 사랑하는 만큼
네가 행복하길 바라기에.

일기

다들 그렇게 삭히며 살고 있구나.

나도 그렇게 당연히 삭혀야 하는데,
왜 그리 그게 어려운지.

사랑하는 너에게 자꾸 투정만 부리는구나.

달

오늘 기어코 나와버렸어.
생각만 해도 행복할 것 같아서
그냥 차를 돌렸는데,
해가 저문 어둑한 하늘 위로
가녀린 달이
어쩌면 너처럼 그렇게 예쁘니.

반했어.
달한테 말이야, 저 달한테.

우울은 나의 원동력 : 낮

2023년 09월 26일 초판 01쇄 발행

지은이 : 김인현
펴낸이 : 김인현
편집인 : 정국화

이메일 : gine9729@naver.com

가격 : 11,500 원